A raposa e o Corvo

O MAIS FEIO DOS CORVOS VIVIA NUMA ÁRVORE DESMILINGUIDA. ELE ERA SÉRIO E METÓDICO. DE MANHÃ, ENCHIA OS PULMÕES E GRASNAVA A MESMA MELODIA, PARA O DESESPERO DOS VIZINHOS!

— AI, QUE VOZ HORROROSA! — QUEIXAVA-SE A CORUJA, TENTANDO TIRAR SUA SONECA MATINAL.

MAS O CORVO NEM LIGAVA. SÓ QUERIA VOAR E CANTAR. SUAS PLUMAS BRILHAVAM ENQUANTO ELE PLANAVA À PROCURA DO SEU CAFÉ DA MANHÃ. QUANTO MAIS ENSEBADAS SUAS PENAS, MAIS GRACIOSO SE SENTIA.
— ARES DA LIBERDADE! — PENSAVA.

MAS, NAQUELE DIA, ALGUMA COISA NÃO IA BEM. O CORVO VOOU PELOS QUATRO CANTOS DO BOSQUE E NÃO ENCONTROU ABSOLUTAMENTE NADA PARA COMER. E SUA FOME SÓ AUMENTAVA!

— ISSO NÃO É JUSTO! NÃO POSSO DORMIR COM O ESTÔMAGO VAZIO. TENHO UMA REPUTAÇÃO DE CANTOR A ZELAR. ISSO SEM FALAR NAS MINHAS PENAS, QUE PODEM SOFRER COM A FALTA DE NUTRIENTES.

FALTAVA POUCO PARA ANOITECER QUANDO ELE RESOLVEU VOAR UMA ÚLTIMA VEZ. QUEM SABE, DESTA VEZ, A SORTE LHE ACOMPANHASSE?
DEPOIS DE VÁRIOS VOOS RASANTES, EIS QUE AVISTOU, LÁ EMBAIXO, UM BELO PEDAÇO DE QUEIJO NA JANELA DA CASA DE UMA FAMÍLIA DE RATINHOS.

— HUM... ESTE QUEIJO DEVE SER UMA DELÍCIA! — PENSOU O CORVO. JÁ POSSO ATÉ SENTIR O GOSTO, MESMO DEPOIS DE ANOS SEM PROVAR UM BANQUETE DESSES. E ESTÁ TÃO FÁCIL DE PEGAR! TIREI OU NÃO TIREI A SORTE GRANDE?

COMO QUEM NÃO QUER NADA, O CORVO SE APROXIMOU DA JANELA E, DE REPENTE, NUMA BICADA SÓ, ABOCANHOU O QUEIJO.

SÓ QUE O PEDAÇO ERA PESADO E FEZ O CORVO VOAR MAIS DESENGONÇADO AINDA. MAS ELE NEM SE IMPORTOU, POIS SÓ QUERIA APRUMAR-SE NO SEU GALHO E SABOREAR SUA REFEIÇÃO.

ASSIM QUE POUSOU, O CORVO COMEÇOU A PREPARAR OS DETALHES DO BANQUETE. AFINAL, ELE ERA POMPOSO E ESTAVA FELIZ DA VIDA! ACONTECE QUE O AROMA INCONFUNDÍVEL E DELICIOSO DO QUEIJO SE ALASTROU PELO BOSQUE E ATRAIU UMA RAPOSA QUE PASSAVA PERTO DA ÁRVORE DESMILINGUIDA.

PARA A SORTE DO CORVO, AS RAPOSAS NÃO SÃO BOAS PARA SUBIR EM ÁRVORES. MAS SÃO ASTUTAS E ÓTIMAS EM TER IDEIAS! E ESTA AQUI NÃO ERA DIFERENTE. POIS ELA, RAPIDAMENTE, BOLOU UM PLANO PARA TOMAR-LHE O PETISCO.

— BOA TARDE, COMPADRE! — DISSE A RAPOSA, TODA GENTIL. — O SENHOR MORA POR AQUI? — ELE APENAS BALANÇOU A CABEÇA AFIRMATIVAMENTE, SEM SOLTAR O PEDAÇO DE QUEIJO NEM POR UM SEGUNDO. AFINAL, NÃO QUERIA COLOCAR SUA REFEIÇÃO EM RISCO!

— GARANTO QUE O SENHOR VEIO DE ALGUMA FESTA! COM UMA PLUMAGEM TÃO BONITA E BRILHANTE ASSIM, SÓ PODE TER SIDO ISSO.

O CORVO BALANÇOU A CABEÇA DE UM LADO PARA O OUTRO, NEGATIVAMENTE. MAS ESTUFOU O PEITO TODO ORGULHOSO COM O ELOGIO.

— DIZEM QUE VOCÊ É UM GRANDE CANTOR, DE MÚSICAS TÍPICAS DESTE BOSQUE, E QUE NENHUMA OUTRA AVE CANTA MELHOR. VIM DE MUITO LONGE SÓ PARA OUVIR SUA VOZ — FALOU A RAPOSA.

O CORVO FRANZIU A TESTA E ACHOU AQUELA CONVERSA ESTRANHA, POIS TODOS OS VIZINHOS RECLAMAVAM DE SUA CANTORIA!

A RAPOSA PENSOU EM UM NOVO ARGUMENTO ANTES QUE SEU PLANO FOSSE POR ÁGUA ABAIXO.

— SE AS OUTRAS AVES FALAM MAL DE SEU CANTO É POR INVEJA! — CONTINUOU ELA. O CORVO ARREGALOU OS OLHOS. FINALMENTE ALGUÉM RECONHECIA O SEU TALENTO DE CANTOR!

A RAPOSA PROSSEGUIU:

— AMIGO CORVO, EU TAMBÉM SOUBE QUE O ROUXINOL FALOU POR AÍ QUE ELE É O MELHOR CANTOR DE TODA A FLORESTA E QUE OS CORVOS TÊM UM CANTO HORRÍVEL. MAS EU APOSTO QUE SE VOCÊ CANTASSE PARA MIM, FARIA MELHOR QUE QUALQUER OUTRO ANIMAL!

ASSIM, O CORVO SE VIU DESAFIADO A PROVAR SEU TALENTO. ELE NÃO TERIA OUTRA ESCOLHA A NÃO SER CANTAR. E CANTAR BEM ALTO, ATÉ MAIS ALTO DO QUE CANTAVA PELAS MANHÃS.

ENTÃO, O CORVO FECHOU OS OLHOS, ENCHEU OS PULMÕES DE AR E, QUANDO ABRIU O BICO, PARA CANTAR, O QUEIJO CAIU. A RAPOSA IMEDIATAMENTE ABOCANHOU SUA REFEIÇÃO, SAIU RINDO DO CORVO TOLO E VAIDOSO E DISSE:

— AMIGO, DESCONFIE DOS BAJULADORES. SEMPRE TEM ALGUÉM QUE SE APROVEITA DA SITUAÇÃO PARA TIRAR VANTAGEM DE VOCÊ.

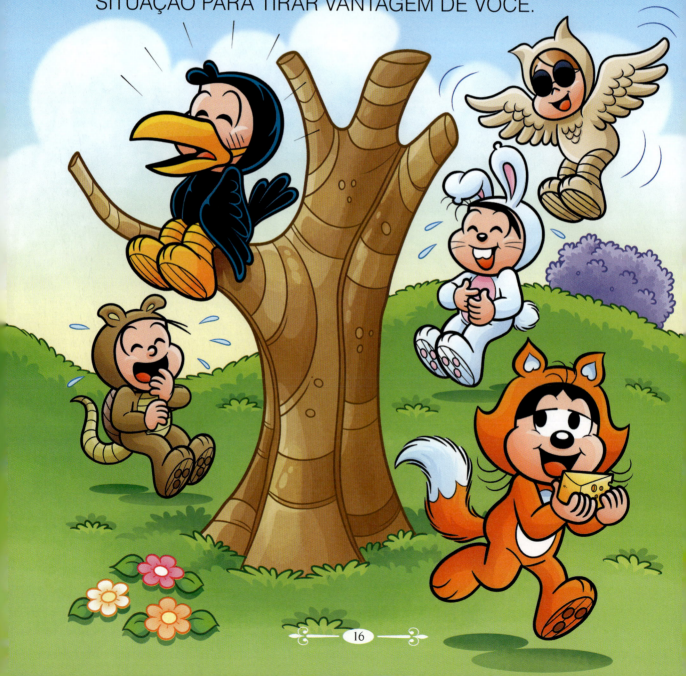